An Bata Draíochta

Irene Ní Mhuireagáin
Fintan Taite a mhaisigh

 An Gúm

Baile Átha Cliath

© Foras na Gaeilge, 2013

Athchló 2021

Dearadh agus leagan amach: Designit Creative Consultants Teo

ISBN 978-1-85791-831-1

PB Print a chlóbhuail in Éirinn

Foilseacháin an Ghúim an cheannach

Siopaí

An Siopa Leabhar (01) 478 3814
An Siopa Gaeilge (074) 973 0500
An Ceathrú Póilí (28) 90 322 811

Ar líne

www.litriocht.com
www.siopagaeilge.ie
www.siopaleabhar.com
www.siopa.ie
www.cic.ie
www.iesltd.ie

An Gúm, Foras na Gaeilge, 63-66 Sráid Amiens, Baile Átha Cliath 1

Tiomnú an údair

do mo mhac, Ádam, a thugann inspioráid dom i gcónaí

Tiomnú an mhaisitheora

d'Alex

Lá amháin bhí Ciarán ag siúl cois locha. Lá fuar a bhí ann ach bhí sceitimíní ar Chiarán. Bhí mála aráin ina lámh aige. Chonaic sé cúpla lacha, cúpla cearc uisce agus corr réisc.

'Beidh ocras orthu,' arsa Ciarán.

'Vác! Vác!' arsa na lachain nuair a chonaic siad Ciarán ag teacht leis an arán. Bhrostaigh siad anall chuige. Ach bhí eagla ar na cearca uisce agus d'imigh siad i bhfolach sa luachair.

'Ná bígí cúthail,' arsa Ciarán leo agus chaith sé blúire aráin chucu.

Chonaic Ciarán plandaí a raibh gas ard caol orthu agus ispín ar a mbarr. 'Ispíní?' ar seisean agus shiúil sé a fhad leo.

'Cén fáth a mbeadh ocras ar na héin agus neart ispíní acu?' ar seisean leis féin.

Bhí puiteach ar an talamh. Ach cén dochar, nach raibh buataisí air? Slubar slabar. Bhain sé gas mór amháin ach bhí díomá air. Ní ispín a bhí ann ar chor ar bith.

'Sin coigeal na mban sí,' arsa Mamaí. 'Bata draíochta atá ann!'

'Bata draíochta?' arsa Ciarán agus rith sé leis ag spraoi.

Chroith sé an bata draíochta san aer.

Ach níor tharla aon rud.

Bhuail sé an bata draíochta ar an talamh.

Ach níor tharla aon rud.

Thum sé an bata draíochta san uisce. D'éirigh sé fliuch …
ach níor tharla aon rud eile. Bhí díomá ar Chiarán.

'Ní bata draíochta é seo ar chor ar bith,' ar seisean.

Bhuail Ciarán an bata draíochta faoi chrann agus an-díomá air.

O Óóóóó …..

Bhris sé an barr agus d'eitil rud éigin amach as.

'Cad é sin?' arsa Ciarán. 'Is bata draíochta é,' arsa Mamaí.

'Fan go bhfeicfidh tú na síolta'.

'Na sióga?' arsa Ciarán agus chroith sé an bata draíochta san aer arís.

D'éalaigh níos mó síolta éadroma ar an ngaoth. 'Uaú!' arsa Ciarán.

'Féach air sin!'

Lasc sé an bata draíochta anonn agus anall
agus d'eitil níos mó síolta ar an ngaoth.

Rith Ciarán leis an mbata draíochta agus lean ribín fada síolta é
go dtí nach raibh an t-ispín le feiceáil níos mó.

Stop Ciarán agus phioc sé suas na síolta clúmhacha
a bhí ar an talamh.

'Ní sióga iad seo, a Mhamaí!' ar seisean.

'Ní sióga a dúirt mé,' arsa Mamaí agus í ag gáire, 'ach síolta!
Tá draíocht ag baint le síolta freisin, tá a fhios agat …'

Thug Ciarán cúpla síol abhaile leis ina phóca.

Chuir Mamaí i bpota iad le cré agus uisce.

Cúpla seachtain ina dhiaidh sin chonaic Ciarán
rud beag glas ag fás sa phota.

Cúpla seachtain ina dhiaidh sin arís chonaic
Ciarán gas agus duilleoga ag fás ann.

'Ní fada go mbeidh coigeal na mban sí sa phota sin agatsa,' arsa Mamaí. 'Uaú!' arsa Ciarán. 'Bata draíochta nua!'